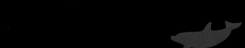

La baleine

Géante des mers

Texte de Valérie TRACQUI

Photos des agences PH.O.N.E et JACANA

Mini Patte

MILAN
jeunesse

Collection dirigée par Valérie Tracqui

La baleine à bosse, appelée aussi jubarte,
se reconnaît à ses 2 immenses nageoires blanches.

6

Coup de canon !

Pendant l'été au pôle Nord, le soleil chauffe la mer et la terre. Les plantes et les animaux sont nombreux.
Là, droit devant !
Un nuage blanc jaillit de l'océan. On entend comme un coup de canon. Boum ! C'est la baleine à bosse qui respire. Lentement, elle sort de l'eau ses deux bras blancs. Puis elle lève la queue et disparaît...

Elle souffle de l'air en faisant du bruit.

Avant de plonger, la baleine sort sa grande queue. Coucou !

7

Championne de plongée

Sous l'eau, la baleine avance vite en ondulant la queue de haut en bas. Elle se sert de ses longues nageoires pour tourner et freiner.

Parfois, elle plonge très profond sans effort. Pour économiser l'air, elle fait des mouvements lents, et son cœur ralentit. Elle peut rester ainsi jusqu'à 20 minutes sous l'eau sans respirer.

8

La baleine sort la tête de l'eau, jusqu'au niveau des yeux, pour regarder autour d'elle.

La voilà à nouveau en surface. Elle cherche ses amies. Ses yeux, placés sur le côté de la tête, s'ouvrent tout grands. Là-bas ! Elles ont trouvé un banc de poissons. Miam, miam...

Ses 2 narines, situées sur le dessus de la tête, se ferment en plongée. Elles forment l'évent.

Sous l'eau, la baleine retient comme toi sa respiration. Ce n'est pas un poisson, c'est un mammifère marin.

Les fanons de la baleine sont faits en corne, comme nos ongles.

La baleine mange jour et nuit. Les oiseaux en profitent pour pêcher les poissons qui s'échappent.

Pour pêcher, elle emprisonne parfois les poissons dans un filet de bulles.

Les baleines pêchent ensemble des crevettes, des calmars et plein de petits poissons. Elles en mangent énormément.

Pour prendre de plus grosses bouchées, la géante déplie sa gorge en accordéon.

À la pêche

Le repas préféré de la baleine, ce sont de minuscules crevettes, que l'on appelle le krill. Pour en manger beaucoup, elle ouvre grand la bouche. Puis, elle plaque sa langue contre son palais et laisse sortir l'eau sur les côtés. Seules les crevettes restent retenues par cette espèce de peigne, qui remplace les dents chez les baleines : les fanons.

Une géante des mers

Plouf! L'énorme animal saute et retombe sur l'eau avec une force incroyable. C'est vraiment un mammifère géant, fait pour vivre dans l'eau. Ses bras se sont transformés en nageoires et ses jambes ont disparu. Elle n'a pas froid, car son corps est enveloppé d'une couche de graisse. Et pour entendre à des kilomètres sous l'eau, elle a une ouïe très fine.

La baleine aime jouer et sauter dans les vagues. Ici, on voit son ventre plissé.

Avec ses yeux spéciaux, elle voit net sous l'eau.

Sur le museau, elle a des poils très sensibles.

Bouche ouverte, elle montre sa langue rose.

Pendant 3 mois, les baleines à bosse nagent
par petits groupes, de jour comme de nuit.

Sur sa peau, la baleine transporte des centaines de petites bêtes, qui ne lui font pas mal. Elles mangent seulement les restes de repas.

Le grand départ

Au mois de septembre, la mer commence à geler au pôle Nord. Les baleines sont grasses. Elles ont bien mangé. Elles quittent l'Alaska pour aller se reproduire dans des eaux plus chaudes. On ne sait pas très bien comment elles retrouvent leur chemin : en regardant les étoiles, la position du soleil ou peut-être la forme des côtes ? C'est un mystère...

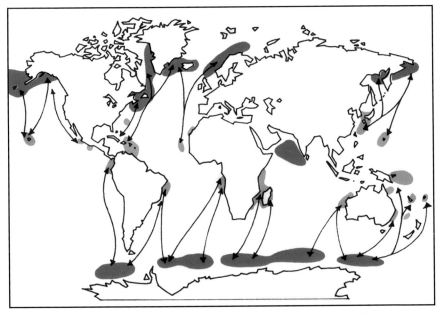

L'été, les baleines se nourrissent aux pôles, dans les eaux froides.

L'hiver, elles se reproduisent autour de l'équateur, dans les eaux chaudes.

🐋 Seul le mâle chante. Incliné, la tête en bas, il envoie une mélodie, qui est reconnue par les membres de son groupe.

🐋 Les scientifiques enregistrent, sous l'eau, le chant mystérieux des mâles en se servant d'un micro.

16

Chant d'amour

Le mâle tape ses 2 bras l'un après l'autre sur l'eau, comme s'il jouait du tam-tam.

Il soulève sa queue très haut et la claque sur la mer dans un bruit de tonnerre. Boum !

Soudain, un son étrange résonne sous la mer. Il s'entend de très loin. C'est un mâle qui chante pour appeler une dame. Il invente plein de phrases, avec plusieurs notes.

Bientôt, d'autres mâles lui répondent. Ils reconnaissent le chant de leur groupe. Les baleines agitent leurs bras blancs et claquent de la queue. Elles se parlent à leur façon !

17

Qui est le chef ?

Un petit groupe de baleines nage tranquillement dans la baie. Il y a une vieille femelle et un grand mâle, le dominant de la troupe. Puis suivent d'autres mâles plus jeunes et des femelles sans petits.

Elles se font des signaux.

Les baleines du groupe sont très énervées. Elles soufflent fort, en faisant beaucoup de bruit.

*Le mâle se précipite sur son ennemi. Attention !
il pèse le poids de 8 éléphants.*

*Le mâle qui gagne s'accouple avec
les femelles de plusieurs groupes.*

Soudain, un rival s'approche. Il veut prendre la place du chef et se marier avec les femelles de la troupe. Pas question ! Le mâle, furieux, jaillit hors de l'eau, comme une torpille. Il est le plus fort !

À la naissance, le baleineau est déjà grand, comme 2 étages.
Mais il ne sait pas se défendre et se fatigue vite.

Un géant est né

Un an plus tard,
la baleine s'isole pour
donner naissance à son
premier bébé. Il sort de
son ventre, la queue
la première. Doucement,
elle le pousse vers
la surface pour qu'il
respire.
Déjà, il a faim !
Il cherche les mamelons
de sa mère. Mmm, ce
lait concentré est un
régal ! En en buvant
500 litres par jour, le
gourmand grandit vite...

Attention !

Le baleineau s'est
éloigné un peu
de sa mère, car il est
maintenant plus grand.
Mais attention aux
ennemis qui rôdent...

Les orques et les requins sont dangereux.
Ils savent tuer les baleineaux isolés.

Jusqu'à l'âge de 4 ans, le baleineau a besoin de la protection
de la maman. Il aime sa peau douce et ses caresses.

🐋 *Seule la maman s'occupe de son petit. Si elle meurt, le jeune orphelin sera sans défense.*

🐋 *Souvent, le mâle dominant du groupe aide la femelle à protéger son petit.*

Si les orques encerclent le baleineau isolé, elles vont l'empêcher de respirer et le tuer à coups de dents. Mais sa maman connaît le danger. Elle rejoint son petit et le serre entre ses bras. Puis elle le fait grimper sur son dos pour qu'il nage sans effort. Il a eu peur !

23

Au revoir !

Pendant tout l'hiver, les baleines à bosse sont restées dans les eaux chaudes, pour s'occuper de leur petit. Mais elles ont peu mangé. La faim les pousse à retourner aux pôles, où la nourriture est abondante.

Le départ est proche. Inquiètes, les baleines soufflent et claquent de la queue. Ça y est ! Une vieille femelle prend la route. Les autres suivront. Bon voyage...

On dirait que les géantes des mers se saluent avant leur départ. Elles feront le voyage aller-retour chaque année, pendant leurs 30 ans de vie...

TOUJOURS MENACÉES ?

Pendant longtemps, les hommes ont tué énormément de baleines. Puis, comme il n'y en avait presque plus, ils ont enfin décidé de stopper cette chasse terrible. Mais elles sont encore menacées par la pollution et les filets de pêche. À nous de les protéger...

Tuées par millions

Jusqu'en 1986, les baleines furent massacrées par les hommes. Sur des bateaux-baleiniers équipés de lance-harpons, les chasseurs tuaient jusqu'à 100 baleines par jour. Tout était utilisé dans la baleine morte : la graisse servait à faire des savons, la viande était mangée ; on sculptait les os et on faisait des balais avec les fanons.

Au lieu de les chasser, les hommes apprennent à observer les baleines. C'est beaucoup mieux !

Les chercheurs savent identifier chaque baleine à bosse, à la forme et à la couleur de sa queue.

Pourquoi certains pays tuent-ils encore les baleines, alors qu'elles sont devenues si rares ?

Chasse interdite !

Aujourd'hui, on n'a plus besoin de tuer les baleines, car on a trouvé des produits de remplacement. Alors, depuis 15 ans, les hommes du monde entier ont décidé d'interdire la chasse à la baleine. Mais les Japonais, les Coréens et les Norvégiens veulent encore en tuer. Pour ne pas encourager cette chasse, il ne faut jamais acheter de produits provenant de baleines.

Enfin la paix

Pour sauver les baleines, on essaye de protéger une partie de l'océan, en Antarctique. À cet endroit, leur chasse est interdite. Mais les baleineaux se noient quand même dans les immenses filets des pêcheurs. De plus, la mer, polluée par les produits chimiques et le pétrole, empoisonne les baleines. Espérons que les hommes trouveront rapidement des solutions pour sauver à jamais ces géantes des mers...

27

🐋 Le rorqual

LES COUSINES

La baleine à bosse est un mammifère marin du groupe des cétacés. Dans cet ordre, elle fait partie de la famille des baleines à fanons, alors que les dauphins sont des baleines à dents. Certaines espèces de baleines à fanons ont une gorge plissée, d'autres ont le ventre lisse.

Le **rorqual** commun est la plus rapide des baleines. On le reconnaît à sa tête en triangle. Pour manger, il se couche toujours sur le côté et ouvre grand la bouche.

La **baleine bleue**, appelée aussi grand rorqual, est l'animal le plus grand de la planète. Elle mesure, en longueur, la hauteur d'un immeuble de 12 étages. Quand elle plonge, elle courbe la queue. On voit souvent son dos tout rond et sa nageoire dorsale, sans imaginer sa taille gigantesque.

🐋 La baleine bleue

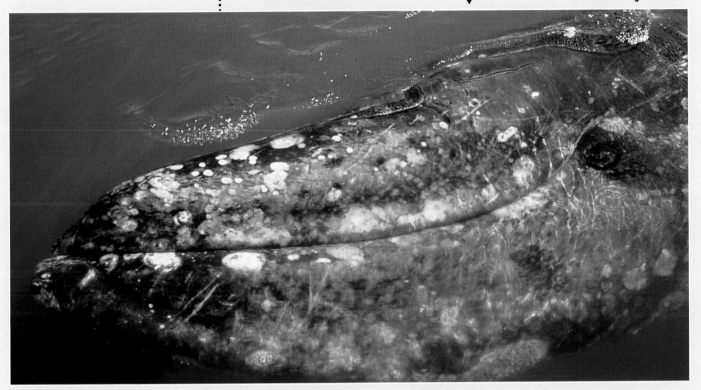

La **baleine grise** fait partie d'une famille un peu à part. À la place d'une nageoire dorsale, elle a des bosses sur le dos. Sa peau est couverte de taches et sa gorge est toute lisse. Pour se nourrir, elle creuse le fond boueux des mers avec son nez.

La **baleine australe** est bizarre, avec ses gros boutons sur la tête. Comme la baleine à bosse, elle se nourrit de krill. Elle est très rare aujourd'hui, car elle a été beaucoup chassée.

La baleine grise

La baleine australe

Quelques questions sur la vie de la baleine, dont tu trouveras les réponses dans ton livre.

Crédit photographique :

PH.O.N.E : F. GOHIER : P. 4, 6, 7 (h), 8, 9, 10 (hg, hd), 12, 13, 15, 16 (h), 19, 20-21, 22, 23 (h), 28, 29 ;
J.-P. FERRERO : p. 14 ; OSMOND/AUSCAPE : p. 24-25.

JACANA : S. CORDIER : 1ère de couverture, p. 7 (b), p. 10-11 (b), p. 17, p. 18 , p. 26-27 ;
D. LEGAY : 4e de couverture ; T. WALKER : p. 11 (hd) ; J. BRUN : p. 16 (b) ; P. WILD : p. 23 (b) ; W.U. NORBERT : p. 26 (b).
BIOS : M. BREUIL : p. 27 (b).

Dépôt légal : 2e trimestre 2004
ISBN : 2.84113.980.8
Imprimé en Belgique